IL MONDO SECONDO

A cura di
Patrick Mauriès
Jean-Christophe Napias

Illustrazioni di
Isabelle Chemin

Traduzione di
Vera Verdiani

L'ippocampo

Traduzione dal francese di Vera Verdiani

Per la bibliografia completa si vedano le pp. 174-175.

Gli autori e l'editore ringraziano Hélène Fulgence e Cécile Godet,
del Patrimoine Chanel, per l'accoglienza e il prezioso aiuto
ricevuti nella realizzazione di questo volume.

ISBN: 978-88-6722-764-8

www.ippocampoedizioni.it

Stampato e rilegato in Cina da C&C offset Printing Co, Ltd

Nella stessa collana:

Il mondo secondo Christian Dior
Il mondo secondo Karl
Il mondo secondo Yves Saint Laurent
Il mondo secondo Lee McQueen

SOMMARIO

LA GRANDE MADEMOISELLE

Nel 1920, all'inizio di quello che, come per un pittore, si potrebbe definire il suo periodo russo, Coco Chanel non spiccicava parola. Abituata a vivere all'ombra dei suoi compagni, solitaria a causa della prematura morte di Boy Capel, un fortuito contatto con il (bel) mondo le dette improvvisamente l'occasione di conoscere la volubile Misia Sert che la introdusse nei *milieux* letterari e artistici, fino a quel momento a lei ignoti o preclusi. "Nessuno sapeva chi fosse, – scrive Edmonde Charles-Roux. – Quasi stentavano a presentarla. Non diceva una parola: si limitava a guardare e ascoltare".

La raccolta contenuta in questo libro potrebbe rappresentare il frutto di quegli ascolti. Tra la minuta e muta creatura al seguito di Misia e le sentenze della vestale in tailleur, dalle mascelle squadrate, le labbra sottili, il martellato eloquio preciso e distaccato pronunciato dalla memorabile voce arrochita che ispirò Broadway ci corre una bella distanza: la distanza di una vita e del frutto dell'esperienza.

INTRODUZIONE

È nota la basilare contraddizione della visione di Chanel, da lei stessa ripetutamente espressa e poi ripresa da Roland Barthes nel famoso saggio del 1957 sul "match Chanel-Courrèges": avendo dedicato la vita all'ondivago mondo della *moda* che "ogni anno distrugge ciò che ha appena adorato e adora ciò che sta per distruggere", Coco cercava solo l'impermanenza dello *stile*, l'immutabile principio che ammette soltanto varianti calcolate e basato sull'idea puramente platonica di un'ideale bellezza (femminile).

Si tratta in sostanza della stessa ricerca dello stile, della formula netta e perentoria che ne caratterizzava la conversazione, come sottolinea, non senza una punta d'ironia, l'autore di *Mitologie*: "Per l'autorità e il brio dei suoi detti la si paragona a uno scrittore del Grand Siècle: elegante come Racine, giansenista come Pascal (che cita), filosofa come La Rochefoucauld (che imita, creando a sua volta delle massime), sensibile come Madame de Sévigné e, infine, frondista come la Grande Mademoiselle di cui eredita soprannome e funzione". In ciò la "Grande Mademoiselle" era tributaria della sua epoca: ossia della cultura, della tradizione e dei riti della (buona) società nella quale era stata introdotta all'inizio della sua carriera e che, a partire dai primi anni Cinquanta, aveva cominciato progressivamente a svanire fino a estinguersi definitivamente negli anni Settanta insieme ai suoi ultimi protagonisti.

Una cultura condivisa con gli scrittori – Louise de Vilmorin, Paul Morand, Edmonde Charles-Roux, Michel Déon – da lei volta a volta convocati e dopo un certo tempo congedati, e che comunque ci hanno trasmesso un bel po' dei suoi apoftegmi. Di questa comunione di spiriti troviamo traccia nel sentirla parlare per voce di Morand ne *L'allure de Chanel*: lo stesso gusto della formula fulminante, della ben calibrata asciuttezza che fa pensare a una totale riscrittura, a una stilizzazione di quel modo di esprimersi. In realtà lo scrittore si era sostanzialmente accontentato di ritrascrivere quel che sentiva: una comunità di visione, di gusto, di cultura e di valori nel meglio e, talvolta, anche nel peggio. A Chanel servivano solo dei portavoce, mai abbastanza fedeli per i suoi gusti.

Noto conoscitore della letteratura del XVIII secolo, Karl Lagerfeld condivideva la stessa passione per la battuta, per la formula azzeccata, per la frecciata assassina da lui portata a un superiore grado d'intensità. Meno intransigente e più stratega di Coco, con la passione di un gioco mediatico che lei avrebbe aborrito, disposto a prestarsi per meglio sottrarsi, in questo campo fu – come nel suo modo di re-imporre, come si dice di un testo, ossia nel modo di ricomporre le sue creazioni – il perfetto erede della Grande Mademoiselle: il suo interprete ideale in un momento in cui la Moda, divenuta onnipotente, non cessava di estendere il proprio impero – fino ad assumere l'importanza economica e culturale che oggi le si riconosce e che sembra destinata ad affermarsi.

Nel 1969 Chanel aveva violentemente stigmatizzato, provocando quello che all'epoca venne definito uno scandalo, "l'impudicizia", "l'assenza di morale" rappresentata dall'esibizione di quella "brutta articolazione" che è il ginocchio, messo in mostra dalla minigonna. Non osiamo immaginare quale sarebbe stata la sua reazione di fronte all'imperterrita esibizione di sé, al narcisismo elevato a valore, ai corpi gonfiati di silicone, all'autocompiacimento del selfie e all'idiozia – nel vero senso del termine – trionfante che caratterizza la nostra epoca. Niente di più lontano dal suo concetto di *stile*, da lei considerato un valore immutabile, universale ed eterno. Perfino lo stile non è che un giocattolo della Storia.

Patrick Mauriès

COCO SECONDO COCO

Possiedo alcune qualità abbastanza simpatiche e sono piena di difetti insopportabili.

Detesto abbassarmi, piegare la schiena, umiliarmi, alterare il mio pensiero, sottomettermi, non fare di testa mia.

La mia ossatura è l'effetto della durissima educazione ricevuta. Sì: la chiave del mio cattivo carattere, della mia indipendenza di zingara e della mia asocialità è l'orgoglio, che però è anche il filo d'Arianna che mi permette ogni volta di ritrovarmi.

Sono irritata, irritabile e irritante.

So di essere insopportabile.

Senza volere,

sono sempre stata

diversa

dagli altri.

Adoro criticare;

il giorno in cui smetterò di criticare sarà anche l'ultimo della mia vita.

*Un giorno avevo parcheggiato la macchina
a una certa distanza dal marciapiede.
Dovevo allungare smisuratamente la gamba
per scavalcare il canaletto di scolo, ma la gonna
stretta rendeva problematica l'operazione.
Alla vista dei miei contorcimenti, due operai seduti
sul bordo del marciapiede scoppiarono a ridere.
Quel giorno decisi che d'allora in poi sarei stata
sempre dalla parte di chi ride, mai da quella
di chi fa ridere.*

Detesto sentirmi una mano addosso, come i gatti.

Visto, che razza di caratteraccio mi ritrovo?

*Sono l'unico vulcano dell'Alvernia ancora
in attività.*

So lavorare. So impormi una disciplina.
Ma se non mi va di fare una certa cosa,
non c'è niente e nessuno che possano indurmi
a farla.

Non ho nessuno che m'imponga una disciplina.
Mi disciplino da sola.

Non riesco a stare agli ordini di qualcuno,
tranne che in amore; e anche lì…

C'è qualcosa che non è in vendita:
Mademoiselle Chanel.

Sono un'ape:

fa parte del mio segno, il Leone, il sole.
Le donne di questo segno
sono lavoratrici, coraggiose, fedeli,
non si lasciano smontare.
È il mio carattere.
Sono un'ape nata
sotto il segno del Leone.

PIÙ CERCAVANO DI VEDERMI,

E PIÙ MI NASCONDEVO.

UN'ABITUDINE CHE NON HO MAI PERDUTO.

Ogni volta che ho fatto qualcosa di ragionevole,
mi ha portato sfortuna.

Audacia e timidezza: i due estremi del mio carattere.

Bisogna saper giocare d'astuzia con i propri difetti.
Se si riesce a servirsene bene, si ottiene tutto.

La durezza dello specchio mi rimanda la mia stessa durezza. È una lotta accanita tra lui e me.
Esprime quel che c'è in me di preciso, efficace, ottimistico, ardente, realistico, combattivo, beffardo, diffidente: il mio lato francese.
E poi ci sono i miei occhi castano dorato
che regolano l'accesso al mio cuore:
da lì si vede che sono una donna.

Malgrado il tempo trascorso a cercare me stessa, non ci sono ancora riuscita: tra di noi c'è qualcosa d'insormontabile.

Se i miei amici prendono in giro il mio modo di parlare in continuazione, è perché non capiscono il mio timore di annoiarmi nell'ascoltare gli altri. Se mai dovessi morire, sarà sicuramente di noia.

Perché sono tornata? Mi annoiavo? Ci ho messo quindici anni ad accorgermene. Oggi preferisco il disastro al nulla.

Il mio eterno nemico è la noia. Lavoro per non annoiarmi. Non per i soldi. E neanche per le donne: ne vedo troppe. Vedo anche le persone che non fanno nulla. Non sono niente. Sono morte.

Ho

PAURA

di

una

cosa

sola:

D’ANNOIARMI.

I viaggi
più belli
li ho fatti sul
mio divano.

Appartengo a quel tipo di donne sciocche
che pensano solo al lavoro, finito il quale
si dedicano alle cartomanti, alle storie altrui,
ai fatti del giorno, alle scempiaggini.

Tengo alle stupidaggini e solo a quelle,
perché è lì che si rifugia la poesia.

La realtà non mi fa sognare, e a me sognare piace.

Ho sempre cercato di disegnare dei vestiti nuovi
che le donne potessero indossare per anni.

La mia grande difesa nella vita è di non amare le persone che non mi amano. È un'ottima difesa: riconosco a prima vista le persone che non mi amano e anche quelle a cui non piaccio. Una cosa molto spiacevole. E credo che nessuno se ne renda conto.

Non pretendo di essere amata, è una parola grossa. Nemmeno io amo tutti. Amo pochissime persone, nel senso di amare, di essere devoti anima e corpo a qualcuno. È raro amare così.

Provo un grande disprezzo per le donne, a cominciare da me, poiché sono convinta che nessuno più di me pensi male degli altri.

Non sono
capace
di sentimenti
tiepidi:

amo

o

non amo.

LA MODA SECONDO COCO

La moda? Quando mi chiedono che cosa pensi della moda, non so di che cosa parlino... Che cos'è la moda? Di tanto in tanto apporto qualche piccolo dettaglio al collo, al braccio – la manica è molto importante in un vestito –, e in men che non si dica tutto il resto è fuori moda... Ma lo faccio solo per ottenere un miglioramento. Non sto certo a scervellarmi su che cosa potrei fare di totalmente nuovo!...

Imparare a fare dei vestiti non significa farli bene (fare la moda e creare la moda sono due cose diverse). La moda non sta solo nei vestiti: la moda è nell'aria, è portata dal vento, la si presagisce, la si respira, sta in cielo e sull'asfalto, è dappertutto, è connessa alle idee, ai costumi, agli eventi.

Non sono né passatista, né d'avanguardia: la mia moda segue la vita.

Mi piacerebbe molto mettere insieme alcuni couturier e chiedere a ognuno di loro:

Le dispiacerebbe spiegarmi che cos'è la moda?

Sono convinta che nessuno saprebbe darmi una risposta convincente. Se è per questo, nemmeno io.

1er Arrt
UNA MODA
CHE NON SCENDE
IN STRADA
NON È
UNA MODA.

Ho creato la moda per un quarto di secolo.
Perché? Perché ho saputo esprimere il mio tempo.
Ho inventato l'abbigliamento sportivo per me stessa:
non per permettere alle altre donne di fare sport,
ma perché lo facevo io. Non sono uscita di casa perché
avevo bisogno di fare moda, ho fatto moda proprio
perché uscivo, perché sono stata la prima a vivere
la vita del secolo.

È sempre preferibile seguire la moda, anche se brutta.
Ignorarla significa diventare un personaggio comico,
cosa terrificante. Nessuno è tanto forte da essere
più forte della moda.

La moda va sempre avanti, mai indietro.
Bisogna vivere nel proprio tempo…

Un abito, un tailleur dovrebbero essere sempre attuali, come un profumo nell'aria, un profumo che dice: sono passato eppure ancora mi si sente.

La moda è la sola cosa che invecchi in fretta: molto più in fretta della donna.

Per me la moda non è affatto un divertimento, ma qualcosa al limite del suicidio.

Anche in materia di moda, solo gli imbecilli non cambiano mai parere.

La miglior prova che la moda non è fatta per essere conservata è che va fuori moda. E anche alla svelta.

LA MODA
VUOLE
ESSERE
UCCISA;
È FATTA
PER
QUESTO.

Da me non
verrà mai messo
in mostra
il ginocchio.
Il ginocchio
è un'articolazione:
che ha di bello
un'articolazione?

Novità, novità! Non si possono creare novità in continuazione!

Che assurdità l'idea che la moda dipenda dalla lunghezza della gonna, un giorno corta e il giorno dopo lunga... La moda è semplicemente una questione di gusto, di buon gusto e la lunghezza di una gonna dipende dalle vostre gambe. Se sono belle, mostratele. Se no, nascondetele. Semplice, no? O dovrei dire: logico?

La moda è una cosa seria. Non credo che la moda debba passare da uno choc all'altro. Non si può demolire una o due volte all'anno tutto quello che si è fatto.

Sono contraria all'assurda tendenza di creare una moda che non dura. [...] Per me i vecchi vestiti sono come dei vecchi amici: mi spiego? Bisogna conservarli, e magari anche rabberciarli.

Dal couturier non ci sono donne intelligenti.
(E neanche morali: sono capaci di vendere
l'anima per un vestito.)

Guardate le signore della stampa che dettano
legge in fatto di moda: sono grasse, brutte
e malvestite!

Non voglio che la donna si vesta da uomo.
Appena si veste da uomo e si comporta come tale,
è perduta.

Trovo deplorevole che le donne seguano troppo **CIECAMENTE** la moda a spese della loro personalità.

Quel che
creiamo
nella moda
dev'essere
inizialmente
bello,
e poi diventare
brutto:
quel che
crea l'arte
deve essere
inizialmente
brutto,
e poi diventare
bello.

Della moda bisogna parlare con entusiasmo, senza follia e, soprattutto, senza poesia, senza letteratura. Un vestito non è una tragedia o un quadro, ma una gradevole ed effimera creazione, non un'immortale opera d'arte. La moda deve morire, e anche in fretta, per far vivere il commercio.

Sono un po' spaventata nel vedere gli amici della moda francese considerarla con tanto rispetto. È la mia familiarità nei suoi confronti a farmela trattare come qualcosa di vivo e deperibile, e non come un'imperitura testimonianza del genio? Non so.

La moda gira per le strade senza sapere d'esistere finché non l'ho espressa a modo mio. Al pari del paesaggio, la moda è uno stato d'animo, vale a dire il mio.

LA COUTURE SECONDO COCO

La sartoria è un commercio, non un'arte. Non lavoriamo nel ramo genio, ma in quello dei fornitori. I nostri vestiti non li appendiamo alle pareti per esporli: li vendiamo.

I costumisti lavorano con la matita: quella è arte. I sarti lavorano con forbici e spilli, la loro è cronaca.

La sartoria non è un'arte astratta ma un artigianato, nel senso letterale, formale, del termine. Si basa sulla forma del vestito e su quella della donna che ci sta dentro. Una donna non è solo un paio di ginocchia. Per fortuna.

Non
so cucire,
SO SOLO APPUNTARE
degli spilli.

HO BISOGNO
CHE LE MIE
indossatrici
siano belle.
SU CERTE RAGAZZE
CON DELLE
facce da
schiaffi
NON POSSO PROPRIO
LAVORARE.

Lavoro direttamente sul corpo: prendo l'ispirazione dalle mie modelle, non dai documenti. Ecco perché cambio così spesso modelle. Lavoro con un paio di forbici e molti spilli.

Il regno dell'indossatrice-oggetto deve sparire. Le mie modelle sono donne vere, non spettri.

Una modella è come un orologio. L'orologio mostra l'ora, la modella deve mostrare il vestito dentro cui l'infiliamo.

Non posso indossare qualcosa che non fabbricherei. E non fabbricherei niente che non possa anche indossare. Di fronte a un capo mi pongo sempre la stessa domanda: me lo metterei? Ormai non ho più bisogno di chiedermelo, è diventato un istinto.

La moda è un'architettura, ossia in primo luogo una questione di proporzioni. La cosa più difficile sarebbe realizzare un vestito dalle proporzioni adatte a qualsiasi donna: un vestito che cinque donne diverse possano indossare senza che ci si accorga a prima vista che è sempre lo stesso.

Se scrivessi un'opera tecnica, direi: "Un vestito ben fatto sta a tutti".

Tutto il lavoro di cucina
da svolgere
perché un vestito
si muova
bene sulla
persona.

La moda
sta in questo,

nel lavoro dietro
le quinte.

Un vestito
scomodo
è un
vestito
sbagliato.

Certe donne vogliono sentirsi addosso dei vestiti aderenti. Mai! Una donna deve entrare nel mio vestito e non pensarci più.

Un tailleur Chanel è costruito per una donna che si muove.

Un capo deve potersi muovere come la donna che lo indossa.

Perché un completo sia bello, deve sembrare che, sotto, la donna sia nuda.

I tailleur sono una vera e propria costruzione.
E la gente li chiama i tailleurini Chanel.

La perfezione deve stare dove non la si sospetta.

Niente d'inutile, tutto ha una sua funzione:
niente bottoni se non ci sono asole.

Ma perché vuole tenere tutta questa roba?
La tagli via e non parliamone più …

La linea di un aereo ha per caso dei fronzoli?
No. Ho fatto una collezione pensando agli aerei.

Non bisogna temere le pieghe: una piega, se utile,
è sempre bella.

L'UNICA LINEA È QUELLA DRITTA.

NON FINISCO
MAI
UN VESTITO.
Li rielaboro fino
all'ultimo giorno,
a volte fino
all'ultima notte
per paura di farli
passare di moda.

LEVO:
LEVO TUTTO
quello che ci ho messo
e che trovo inutile.

Una bella stoffa è una cosa bella in sé,
ma più un vestito è ricco e più diventa povero.

I vestiti da sogno? So fare anche quelli. [...]
Si comincia sempre dai vestiti da sogno.
E poi bisogna cominciare a levare, a eliminare,
a buttare. Sempre levare, mai aggiungere.

Trasformo fino all'ultimo giorno. Che ci vuol fare:
io lavoro direttamente sulle indossatrici.

La sartoria è la mia gioia, lo scopo della mia vita,
il mio ideale, la mia ragione d'essere, il mio tutto,
il mio me... In fondo sono solo una sartina.

Ho introdotto la moda di rendere di moda i sarti.
Prima di me non lo erano affatto.

Invece di appassionarsi alla moda, ci si appassiona a chi la fa. Sempre la solita confusione.

Oggi i couturier non pensano che a stupire.
Ma chi?

Se la couture fosse solo una questione di lunghezza delle gonne, tutte le cameriere capaci di cucire potrebbero diventare sarte. E a noi non resterebbe che andare al cinema o guardare la televisione.

I

COUTURIER

SI CREDONO

TALMENTE

IMPORTANTI

...

LO STILE
SECONDO
COCO

Non mi piace che si parli di una moda Chanel.
Chanel è innanzitutto uno stile.
La moda va fuori moda, lo stile mai.

Gli altri couturier continuavano una moda,
mentre io creavo uno stile.

È per questo che ho creato uno stile: se dovessi
inventare ogni settimana qualcosa di nuovo,
non me la caverei più. Non è possibile: il risultato
è che si finisce per inventare delle cose orrende.

SONO SCHIAVA
DEL MIO
STILE:

UNO STILE
NON VA MAI
FUORI MODA.

CHANEL
NON PASSA
DI MODA.

Tutta
la mia
arte
è stata quella
di levare
ciò che gli altri
aggiungevano.

Lo stile dovrebbe raggiungere la gente, no? Dovrebbe scendere in strada, entrare nella vita della gente come una rivoluzione. Lo stile significa questo. Il resto è moda. La moda passa, lo stile resta. La moda è fatta di qualche idea divertente, destinata a esaurirsi rapidamente.

Sempre levare, sempre sottrarre, mai aggiungere… Non esiste altra bellezza se non la libertà dei corpi…

Alleggerire la donna dalla testa ai piedi, perché alleggerirla significa ringiovanirla.

Ritengo che i miei modelli, famosi per la loro semplicità, non siano ancora abbastanza semplici. Penso di renderli ancora più semplici.

Semplicità non significa povertà.

*Lo stile è qualcosa di più. È il taglio,
le proporzioni, i colori, i tessuti. E tante altre cose,
a cominciare dalla donna stessa.*

*La cosa più difficile del mio mestiere?
Permettere alla donna di muoversi liberamente,
di non sentirsi travestita. Di non cambiare
atteggiamento o modo di fare a seconda
del vestito in cui è stata infilata. È molto difficile,
ma è proprio questo il mio dono… sempre che
si tratti di un dono.*

*Vestite le donne per l'oggi e le vestirete
per il domani. È il paradosso dello stile.*

NON LE GRANDI.

L'ECCENTRICITÀ

mi piace

solo addosso
agli altri.

*Un abbigliamento, per eccentrico che sia,
non deve far ridere. Far ridere per come
si è vestiti significa essere ridicoli. Non somigliare
a nessuno, sorprendere, stupire con un'eleganza
la cui discrezione e i cui effetti sfuggono all'analisi:
ecco lo scopo ultimo di una donna desiderosa
di serbare il proprio mistero e di avere poesia.*

*Una donna elegante deve poter fare la spesa senza
far ridere le massaie. Chi ride ha sempre ragione...*

*Bisogna diffidare dell'originalità; nella couture
si cade subito nel travestimento e nell'arredamento
si cade nel decorativo.*

*Non faccio mai niente di ridicolo. Odio il ridicolo,
non è il mio stile. Una volta trovato uno stile,
mi ci attengo.*

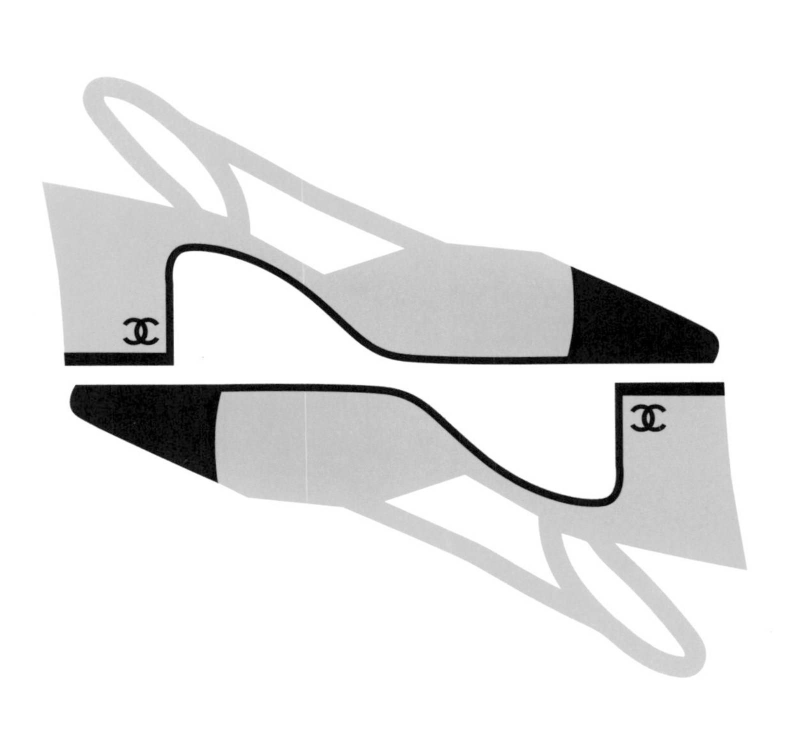

L'ELEGANZA
SECONDO
COCO

Una definizione dell'eleganza? Bella domanda...
[...] Posso solo ripetere quello che ho sempre detto,
e che per me è un fatto: e cioè che le donne sono
sempre troppo vestite, ma mai abbastanza eleganti.

Non occorre vestirsi da Chanel per essere eleganti.
Sarebbe una sfortuna se per essere eleganti
ci si dovesse vestire da Chanel.

L'eleganza non sta nel travestimento,
ma nell'infallibile istinto che spinge una donna
verso la moda adatta alla sua persona
e al suo carattere.

Meglio un po'
meno
vestite, che un po'
troppo.

L'eleganza

è la
linea.

Un tocco di bellezza o di eleganza ha lo stesso fantastico potere della fiamma di una candela in una stanza buia.

L'eleganza non è la prerogativa delle donne appena uscite dall'adolescenza, ma di quelle che hanno trovato un loro equilibrio, una propria personalità. Quelle che non hanno bisogno di soldi, ma che devono avere la ricchezza e l'eleganza dei sentimenti.

L'eleganza? Non è una questione di soldi, ma il contrario della volgarità e della trascuratezza. Si può essere troppo vestite – mai troppo eleganti. Se siete brutta, la gente finirà per dimenticarsene. Ma se siete trascurata – mai.

In che consiste l'eleganza? Nel portamento, nel modo di camminare, di sedersi. Non solo di vestirsi. Dovete essere capaci di piacere per voi stesse, per la vostra stessa presenza.

Una donna è quasi più nuda quando è ben vestita.

Soprattutto non illudetevi che l'eleganza sia solo una questione di denaro, d'affetto o d'imitazione. Vestiti e parures *vi si devono adattare come i vostri gesti, come la vostra andatura, come il vostro sorriso. È solo a questa condizione che potranno abbellirvi senza travestirvi. Vale sempre il motto di lord Brummell: "L'eleganza non si nota".*

Non è il
vestito
che deve portare
la donna,
ma
la donna
che deve portare
il vestito.

Nascondete
quel
che
potreste
mostrare

e
mettete in
mostra
quello
che non
potete
nascondere.

Lo chic di un vestito non sta nella sua pretenziosità, ma nella buona qualità del tessuto, nel taglio e nell'idea ben eseguita. Meglio due abiti perfetti che quattro mediocri.

L'eleganza non sta nell'avere un vestito nuovo. Non si è eleganti perché si possiede un abito nuovo, si è eleganti perché si è eleganti. C'è gente che non lo è, e che non lo sarà mai.

I GIOIELLI SECONDO **COCO**

Mi copro volentieri di gioielli perché su di me sembrano sempre falsi.

Quando ho un po' di tempo, prendo
una scatola di cera e fabbrico qualcosa a mano.
È così che nascono i miei gioielli.
L'importante è la proporzione.

I gioielli non sono fatti per avere l'aria ricca,
ma l'aria ornata: non è la stessa cosa.

L'ornamento
è sempre
e soltanto
lo specchio del
cuore.

Il problema
da risolvere
quando si fanno
dei gioielli
FALSI
è di farli
sembrare
più
VERI
dei
VERI.

I GIOIELLI SECONDO COCO

I gioielli vanno guardati con innocenza, come si ammira un melo in fiore sul ciglio della strada, passandoci accanto su un'auto in corsa.

I gioielli servono ad onorare le persone presso le quali, e per le quali, si indossano.

Il gioiello non è fatto per suscitare invidia ma, al massimo, stupore. Deve restare un ornamento e un divertimento.

Un tempo un gioiello era innanzitutto un disegno...
I miei rappresentano innanzitutto un'idea!...
Ho voluto coprire le donne di costellazioni.
Di stelle! Stelle di tutte le dimensioni per scintillare nelle capigliature... frange, falci di luna.

I miei gioielli non sono mai separati dall'idea della donna e del suo abito. Se subiscono delle trasformazioni, è perché si trasformano i vestiti.

Quel che conta non è il carato,

ma l'illusione.

N°5

IL PROFUMO SECONDO **COCO**

Ho voluto dare un profumo alla donna,
ma un profumo artificiale, come un vestito,
ossia fabbricato. Sono un artigiano della sartoria.
Non voglio né rose né mughetti: voglio un profumo
che sia un composto.

Il profumo? È la cosa principale. [...] L'importante
è che somigli alla persona destinata a usarlo. [...]
Una donna mal profumata, vale a dire una donna
che non si profuma perché è tanto presuntuosa da
credere che il suo odore personale sia sufficiente...
Eh, no!

Ho fatto
la sarta

per caso.

Ho fabbricato
profumi

per caso.

Dove ci si deve profumare?

“

Dovunque si desideri essere baciata.

Che cosa
mangia?

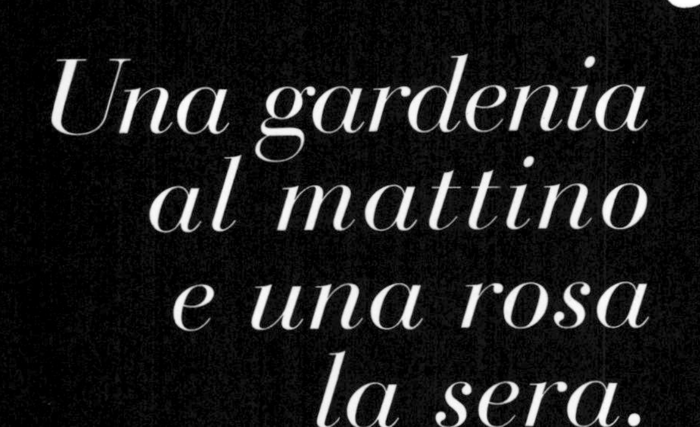
"
Una gardenia
al mattino
e una rosa
la sera.

Un profumo deve essere
come un pugno:
mi spiego? Non posso stare lì a fiutare tre giorni per controllare se si sente.

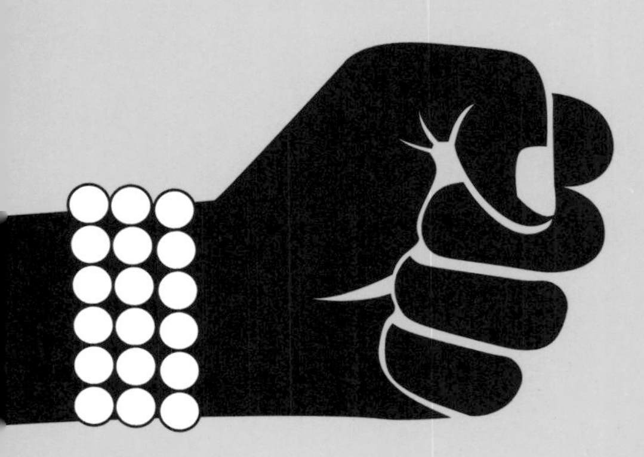

Una donna che dice: "Io non mi profumo mai"
e il cui cappotto sa d'armadio è una perdente nata.
Si lancia nella vita senza la minima chance.

Le donne portano i profumi che ricevono in regalo,
e invece dovrebbero portare un profumo che amano,
personale. Se lascio una mia giacca da qualche
parte, si deve sapere che è la mia.

IL N°5?
UN PROFUMO
CHE NON È MAI
STATO FATTO.
UN PROFUMO
DI DONNA,
CON L'ODORE
DI DONNA.

**SE IL N°5
VI PIACE,**

**FATE COME ME:
RESTATEGLI FEDELE
IN TUTTO E PER TUTTO.
È UN COMODO SISTEMA
PER ESSERE SE STESSA,
NON UN'ALTRA.**

COCO-
COLORI

Chiedevo ai grossisti dei colori naturali;
volevo uniformare la donna alla natura,
obbedire al mimetismo degli animali.
Un abito verde su un prato è perfettamente
ammissibile.

Mi rifugio nel beige perché è naturale.
Non tinto. Il rosso, perché è il colore del sangue
e ne abbiamo talmente tanto all'interno
che bisogna pur mostrarne un po' all'esterno.

IL ROSSO
È
IL COLORE
DELLA
VITA,
DEL
SANGUE:
ADORO
IL ROSSO.

Prima di

ME,

nessuno avrebbe osato vestirsi di

NERO

E così ho imposto il nero. Continua ad andare alla grande, il nero sbaraglia ogni cosa.

Per quattro o cinque anni ho fatto solo il nero. I miei vestiti si vendevano come il pane, con qualche aggiunta qua e là: un collettino bianco, dei polsini... Li portavano tutte: attrici, donne di mondo e cameriere.

Le donne pensano a tutti i colori tranne che all'assenza di colori. Ho detto che il nero aveva tutto. Come il bianco. Sono di una bellezza assoluta. La perfetta armonia. Mandate a un ballo delle donne in bianco o in nero e la gente non avrà occhi che per loro.

Se per strada passa una donna curata, vestita
di un colore squillante (e che le sta bene),
la gente le fa ala, la fa passare, l'ammira.

Una donna vestita di chiaro è raramente
di malumore.

Un giorno ho imparato che il bianco,
colore lunare, è un riflesso simbolico dell'assoluto.
Il bianco non è solo l'attributo della purezza, ma
anche quello della giustizia e del suo trionfo finale.
I mantelli degli eletti dell'Apocalisse sono bianchi.
Il bianco è anche il colore del freddo,
dello sconforto e dell'abbandono.

La tragedia

della donna che invecchia è quando a un tratto si ricorda di quanto le stava bene a vent'anni l'azzurro cielo.

IL LAVORO SECONDO COCO

Ho fatto vestiti. Avrei potuto fare tutt'altre cose.
È stato un caso. Non amavo i vestiti, amavo
il lavoro. Gli ho sacrificato tutto, perfino l'amore.
Il lavoro mi ha mangiato la vita.

"Coco trasforma in oro tutto ciò che tocca",
dicono i miei amici. Il segreto di questo successo
è l'aver lavorato come una pazza. Ho lavorato
cinquant'anni, quanto e più di chiunque altro.
Niente sostituisce il lavoro, né i titoli,
né la sfrontatezza, né la fortuna.

Quando la mia attività ebbe una sua vita, ossia
la mia; un viso: il mio; una voce: la mia, e quando
sentii che il mio lavoro mi amava, mi obbediva
e mi rispondeva, mi detti a lui anima e corpo.
Da allora non ho mai avuto un amore più grande.

IL LAVORO

HA

MOLTO

PIÙ

SAPORE

DEL

DENARO.

La parola
“VACANZE”
mi fa
sudare.

Niente mi riposa più del lavoro e niente mi sfianca più dell'ozio. Più lavoro e più ho voglia di lavorare.

La gente vuole la dolcezza. Non è vero, non si lavora nella dolcezza. Sarà vero per la gallina che cova le uova. Si lavora con rabbia.

Che farei se smettessi di lavorare? Mi annoierei a morte.

Ho imparato il rigore dagli artisti.

Non sono un'artista. Il lavoro dell'artista
sembra dapprima ridicolo, e solo dopo ha successo;
il mio deve riuscire subito e diventare ridicolo dopo.

Cesello il mio lavoro: è una malattia.
Faccio un mestiere che nessuno sa più fare.

Il genio si ha fin dalla nascita. Il talento deve
venire fuori…

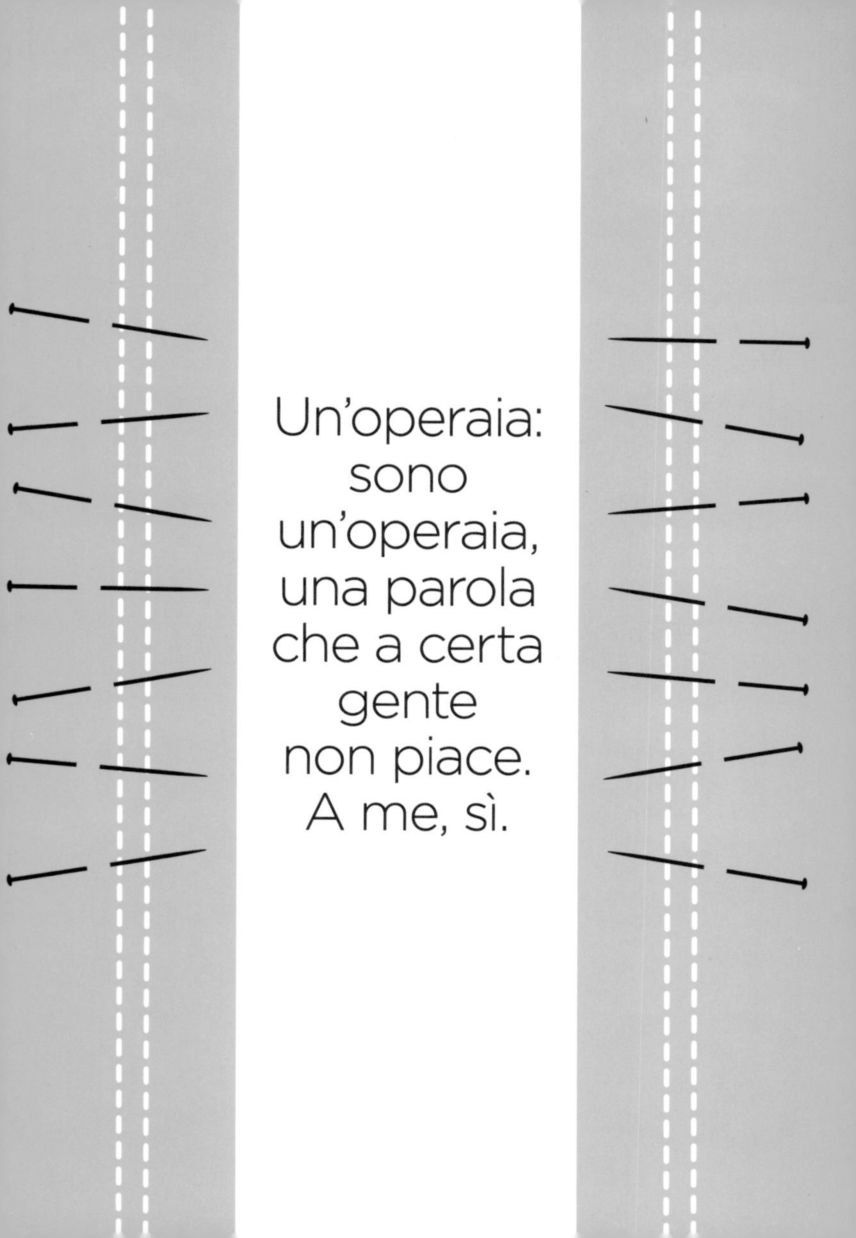

Un'operaia:
sono
un'operaia,
una parola
che a certa
gente
non piace.
A me, sì.

INVENTARE
SECONDO
COCO

Una volta scoperta, un'invenzione è fatta per perdersi nell'anonimato. Non riuscirei mai a sfruttare tutte le mie idee, per cui provo una grande gioia nel vederle realizzate da qualcun altro, magari anche meglio di me.

Pochi creatori sono stati più imitati di me. Sto con la maggioranza: penso che lo stile debba uscire per strada, nella vita quotidiana, come una rivoluzione. Ecco il vero stile.

Le trovate sono fatte per essere perse.

Amo solo quello che invento, e invento solo se dimentico.

All'origine della creazione
c'è l'invenzione.

L'invenzione

è il seme, il germe.
Perché la pianticella spunti
occorre la temperatura giusta,
e quella giusta

è il lusso.

La moda deve nascere
nel lusso.

QUANDO
NON INVENTERÒ
PIÙ NULLA,
SARÒ FREGATA.

Se si parte da qualcosa di bello, in seguito si può anche scendere al semplice, al pratico, al buon mercato. Da un vestito di mirabile fattura si può arrivare alla confezione, ma l'operazione contraria non funziona. Ecco perché, scendendo in strada, la moda muore della sua morte naturale.

Non possiamo impedire che prima o poi ci prendano le nostre idee a patto, ovviamente, che non prendano né il nostro nome né i nostri marchi.

Quel che non viene mai derubato è l'autenticità, la capacità inventiva e la perfetta realizzazione, che costa così cara perché non sta nel motore di una macchina da cucire ma nelle mani e nello spirito di un'operaia francese.

Le persone capaci d'inventare sono rare;
quelle che non inventano, molte.
Quindi sono le più forti.

L'innovazione mancata è penosa; la ricostituzione, sinistra.

Si può imitare la semplicità ma non copiarla.
Perché la semplicità è la perfezione.

LA STRADA

m'interessa più dei salotti.

IL LUSSO SECONDO COCO

CERTUNI
CREDONO CHE IL
LUSSO
SIA IL CONTRARIO
DELLA POVERTÀ.

No.

È IL CONTRARIO
DELLA
VOLGARITÀ.

Il lusso è innanzitutto il genio dell'artista
capace di concepirlo e di dargli forma.
Forma che poi viene espressa, tradotta,
diffusa da milioni di donne che vi si conformano.

Per me il lusso significa avere dei vestiti ben fatti
e poter portare un completo per cinque anni perché
torna bene addosso. Il mio sogno: i vecchi completi,
la roba usata.

Il lusso è un cappotto da donna gettato a rovescio
su una poltrona... e il cui rovescio è più prezioso
del diritto.

Ho vissuto nel lusso e del lusso, cercando di trasmettere ai miei contemporanei l'esatto significato di ciò che rappresentava ai miei occhi, ripetendo loro che una cosa diventa lussuosa solo al momento in cui, a rigore, potremmo farne a meno, ma non lo facciamo. Il lusso è una distensione dell'anima. Soddisfa un'aspirazione ancora più profonda del bisogno d'agire o di pensare. È paragonabile solo al bisogno d'amare. Poter amare ciò che è semplice è un grande lusso.

Il lusso deve restare quasi invisibile: lo si deve avvertire. Una donna che si sente avvolta dal lusso emana una sorta d'irradiazione.

Quando la Maison Chanel non esisterà più, quando sarò sparita, con me sparirà anche il lusso.

IL LUSSO
NON
SI COPIA.

IL DENARO

è

UNA COSA MALEDETTA,

per cui va sperperato.

Va benissimo che i ricchi spendano il loro denaro. Comunque, i ricchi e la gente che ha denaro non sono la stessa cosa. Chi ha denaro lo spende, come ho fatto io.

Mi piace comprare; il terribile è che dopo aver comprato, si possiede.

C'è gente che i risparmi fanno diventare povera e altra che si arricchisce a forza di spendere: sono sempre stata povera come Creso e ricca come Giobbe.

Giudico la gente dal suo modo di spendere.

*Non ho frequentato solo persone ricche.
Alcune sono molto ordinarie: preferirei mangiare
con un barbone che con quegli esseri noiosi
da morire.*

*Non amo il denaro, per cui non amo
la gente per il solo fatto che ha denaro.
La gente che parla solo di denaro mi stanca.*

*La ricchezza parsimoniosa, il fasto pretenzioso,
le liberalità sordide sono le armi infallibili
per il suicidio del patrimonio.*

*Per me il denaro ha sempre avuto solo il suono
della libertà.*

Il denaro
non è bello.
È comodo.

IL TEMPO SECONDO COCO

La mia età dipende dai giorni e dalle persone con le quali mi trovo.

Quando mi annoio ho mille anni, ma se sto bene con un amico, perché preoccuparmi della mia età?

Per trent'anni da me sono venute donne vecchie e giovani, per ringiovanirsi. O, più esattamente, per fare come me: avere la mia età, che non è mai stata una questione di anni.

Ho avuto sempre una vita così piena. Ho sempre rincorso il tempo.

VOLERSI
RINGIOVANIRE
È GIÀ
ESSERE
VECCHI.

La natura
vi dà il vostro viso dei

anni;
la vita modella quello dei

30;

ma quello dei

50

ve lo dovete meritare
da sole.

Il vero problema, il più importante, è di ringiovanire le donne. Fare in modo che abbiano l'aria giovane. A quel punto il loro modo di vedere la vita cambia. Sono più allegre.

L'età non conta: potete essere irresistibile a vent'anni, affascinante a quaranta e irresistibile per il resto della vostra vita.

La donna che avanza negli anni si occupa ogni giorno di più di se stessa e, per un diabolico effetto della giustizia immanente, occuparsi di sé è ciò che fa maggiormente invecchiare.

Le cure di bellezza devono iniziare dal cuore, o i cosmetici non serviranno a nulla.

Che significa "moda giovane"? Vestirsi come una ragazzina? Niente di più stupido, niente che invecchi di più. C'è una gran confusione. Non dimentichiamoci che la moda può anche essere stupida.

Una moda per i giovani? È un pleonasma: non esiste una moda per i vecchi.

Amate l'autunno come amerete il vostro autunno quando, una volta venuto, non vi farà più paura.

CREDE CHE SIA
DIVERTENTE
SENTIRSI
RIPETERE

“NON HAI PIÙ VENT’ANNI?”

“NON HAI PIÙ VENT’ANNI”

“NON HAI PIÙ VENT’ANNI”

“NON HAI PIÙ VENT’ANNI”

“NON HAI PIÙ VENT’ANNI”

“NON HAI PIÙ VENT’ANNI”

“NON HAI PIÙ VENT’ANNI”

“NON HAI PIÙ VENT’ANNI”

“NON HAI PIÙ VENT’ANNI”

“NON HAI PIÙ VENT’ANNI”

“NON HAI PIÙ VENT’ANNI”

Gabrielle Chanel

ESPRIT COCO

La moda è sempre uno specchio dell'epoca,
ma se è stupida lo si dimentica.

Travestirsi è bello; farsi travestire è triste.

La moda è una regina e talvolta una schiava.

La moda è allo stesso tempo bruco e farfalla.
Siate bruco di giorno e farfalla la sera.
Non c'è niente di più comodo di un bruco
e niente di più adatto all'amore di una farfalla.
Ci vogliono vestiti che strisciano e vestiti che volano.
La farfalla non va a fare la spesa e il bruco
non va a un ballo.

La moda non è il teatro, anzi, tutto il contrario.

LA POESIA
DELLA MODA
È DI CREARE
L'ILLUSIONE.

L'ORNAMENTO,
che scienza!
LA BELLEZZA,
che arma!
LA MODESTIA,
che eleganza!

Prima fate il vestito, e poi le guarnizioni.

Un vestito non è una benda. È fatto per essere portato. Lo si porta con le spalle. Un vestito deve stare appeso alle spalle.

Il lusso è un bisogno che comincia dove cessa il bisogno.

Nessun sarto, nessun truccatore e neanche i soldi possono darvi lo charme. Lo charme sta in voi. L'arte sta nello scoprirlo da soli.

*Le donne possono darti tutto con un sorriso
e riprendrerselo con una lacrima.*

La civetteria è una conquista dello spirito sul senso.

La vera generosità sta nell'accettare l'ingratitudine.

*Possiamo essere amati malgrado i nostri grandi
difetti, ma odiati per certe autentiche qualità
o grandi virtù.*

Se siete nate
SENZA ALI,
non fate niente
che impedisca loro
di spuntare.

Ci si può
abituare
alla
bruttezza,
alla
trascuratezza,
mai.

Le sole barriere che possiamo abbattere
sono quelle erette da noi stessi.

Si dice che le donne siano sublimi solo nella disgrazia. È una sentenza diffusa e che permette agli uomini di ringraziarle solo nelle catastrofi.

Ridare mistero alle donne è ridare loro la gioventù.

Il "buon gusto" rovina certi reali valori dello spirito. Per esempio, il gusto puro e semplice.

C'è un momento in cui non si può più toccare un'opera: quello in cui peggio di così non si può fare.

Qualunque vera disgrazia fa sparire tutte quelle immaginarie.

Il cattivo gusto
ha dei limiti;

l'unico a non averne
è il buon gusto.

In amore si può essere ridotti a tradire
per eccesso di delicatezza.

Vista la convenzione per cui gli occhi sono
lo specchio dell'anima, perché non ammettere
che la bocca sia anche l'interprete del cuore?

Bisogna inventarsi la vita pensando che tutto
quello che non ci piace ha un suo contrario
che rischia di piacerci.

Il silenzio isola più della distanza.

I nostri immediati nemici stanno dentro di noi.
Attenti, voi giovani: la naturalezza impartisce
le sue lezioni solo quando è troppo tardi.

**SE NON
SI PIANGE PIÙ,
SIGNIFICA
CHE NON
SI CREDE PIÙ
ALLA FELICITÀ.**

PER

essere insostituibile,

BISOGNA

essere diversa.

Un santo nel mondo è altrettanto inutile di un santo nel deserto. Se i santi che vivono nel deserto sono inutili, quelli che vivono nel mondo sono spesso pericolosi.

La leggerezza è una qualità femminile. Per sopportarla in un uomo bisogna che sia un genio.

Non si vendica né il proprio spirito, né il proprio onore, ma solo la propria vanità.

La stupidità è la cosa peggiore… Si può perdonare tutto, tranne la stupidità.

COCO SECONDO KARL

Il successo di Chanel è di aver saputo imporre i suoi elementi identificativi. Cinque note di una melodia senza tempo che permette alle donne di riconoscere all'istante la quintessenza di Chanel: lusso e raffinatezza.

Negli anni '30 era molto più nota per i suoi merletti che per i tailleur. Se uno dice trina, penso Chanel.

Ha inventato qualcosa: il total look. Fu la prima a chiedere per se stessa un "profumo da donna, con l'odore di donna". Dei gioielli per la sua collezione. Dal cappello alla scarpa, dalla cintura alla camelia, dai nodi a cravatta alle borse, ha sublimato l'accessorio e reso indispensabile il futile.

Lo stile Chanel
è un

EGO-TRIP.

Ha fatto tutto
per se stessa.
Per imporsi.

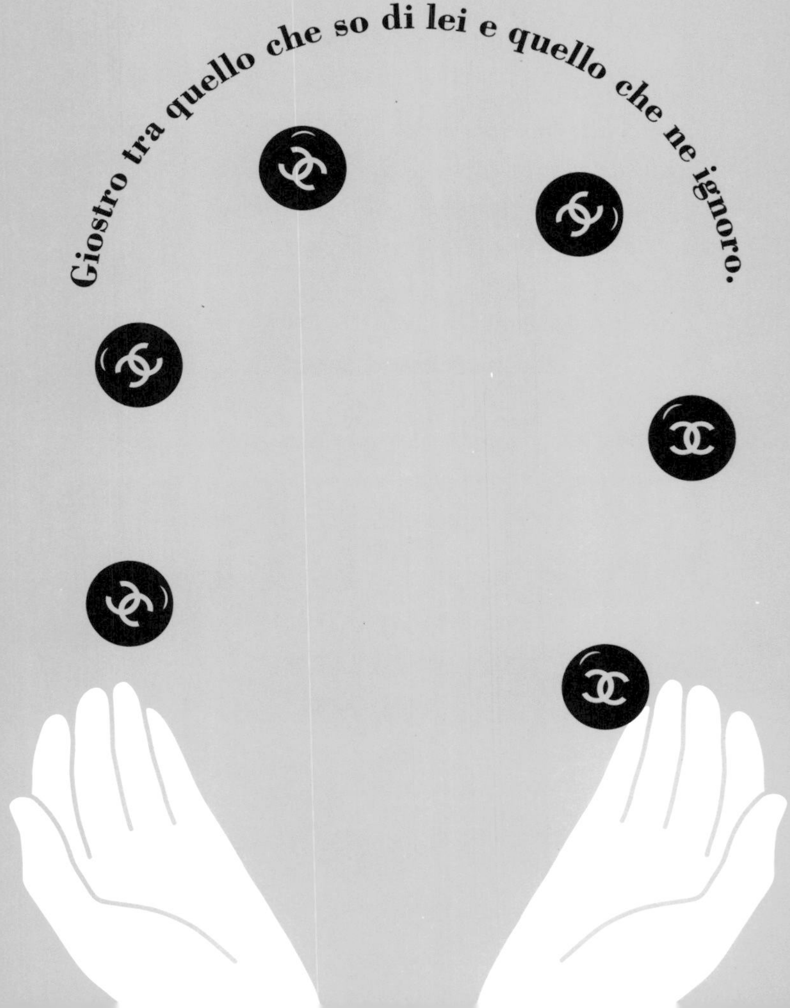

Giostro tra quello che so di lei e quello che ne ignoro.

La Coco Chanel che preferisco è quella degli inizi. La ribelle, l'eccentrica, quella che una sera si taglia i capelli prima di una "prima" all'Opéra, perché l'esplosione di uno scaldabagno le ha bruciato la splendida capigliatura. Amo la cattiveria di quando era buffa, la sua intelligenza. È a lei che penso nel creare le mie collezioni.

Chanel era una donna del suo tempo. Non era un'antiquata rivolta al passato. Anzi, lo detestava, compreso quello suo personale, ed è lì che sta la chiave del suo stile. È per questo che il marchio Chanel dev'essere l'immagine del momento.

Coco Chanel non avrebbe mai fatto quello che ho fatto io. L'avrebbe detestato.

Chanel rappresenta un look che si adatta a tutte le epoche e a tutte le età, con elementi quali i jeans, le t-shirt, la camicia bianca. La giacca Chanel è l'equivalente del completo a due bottoni per un uomo.

Il genio di Mademoiselle è di avere imposto il tailleur, la camelia e la catena d'oro come se fossero una sua invenzione. È un po' come Charlot con il suo bastone, i baffetti e il cappello.

Il mio lavoro non consiste nel far sopravvivere il tailleur Chanel, ma nel mantenerlo vivo.

Adoro Chanel, ma non sono io.

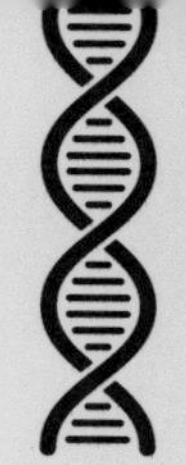

CONOSCO
A
FONDO
IL
DNA
DI
CHANEL,
ed è
abbastanza
forte da
non dover
essere
discusso.

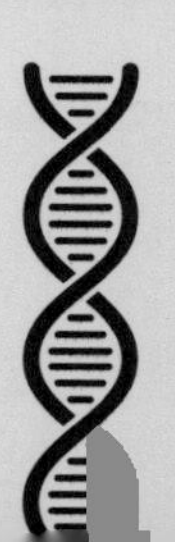

COCO SECONDO COCO 2

Quando ero giovane le donne non avevano
una forma umana. Ho reso loro la libertà:
ho dato loro delle vere braccia, delle vere gambe,
dei movimenti spigliati, la possibilità di ridere
e di mangiare senza sentirsi male.

Mi chiedo come mai mi sia lanciata in questo
mestiere e come mai vi abbia svolto la parte
della rivoluzionaria. Non è stato per creare quello
che mi piaceva ma, prima di tutto, e soprattutto,
per mettere fuori moda quello che non mi piaceva.
Ho usato il mio talento come un esplosivo.

Lavoravo per una società nuova. Fino allora
si fabbricavano vestiti per delle donne inutili,
oziose, alle quali le cameriere dovevano infilare
le calze; ormai avevo una clientela di donne attive,
e una donna attiva deve sentirsi a suo agio
nei vestiti. Deve potersi rimboccare le maniche.

SONO STATA
LO STRUMENTO
DEL
DESTINO
PER UNA
NECESSARIA
OPERAZIONE DI
PULIZIA.

Un mondo finiva
e ne nasceva un altro.
Ero lì: mi si offriva
un'occasione e io l'ho afferrata.

Avevo l'età del nuovo secolo, per cui fu a me che
ci si rivolse per esprimerne il nuovo modo di vestire.
Occorrevano semplicità, comodità, linee pulite:
tutte cose che offrivo loro a mia insaputa.
I veri successi sono dovuti al fato.

Hanno sempre voluto chiudermi in gabbia:
gabbie con cuscini imbottiti di promesse, gabbie
d'oro, gabbie che ho toccato con un dito voltando
la testa dall'altra parte. L'unica che ho voluto
è quella costruita da me stessa.

E così, appena ventenne, fondai una sartoria.
Non fu la creazione di un'artista come si è soliti pretendere, né quella di una donna d'affari, ma l'opera di qualcuno che cercava solo la libertà.

Ho reso la libertà al corpo delle donne;
un corpo che sudava dentro abiti da parata, merletti, corsetti, sottabiti e imbottiture.

Voglio che le donne siano belle e libere.
Libere di muovere le braccia e di camminare veloci.
Con il loro tempo.

La fortuna
è un modo
di essere.
La fortuna
non è una persona
da poco.
La fortuna
è la mia
anima.

La fortuna è fatta di poco: sono arrivata
al momento giusto e ho conosciuto la gente giusta.

Sentir dire che ho avuto fortuna mi irrita.
Nessuno ha lavorato più di me.

Anche il mio successo ci tengo a considerarlo
una prova d'amore e voglio credere che, amando
quel che facevo, venivo a mia volta amata
attraverso le mie creazioni.

È stata la solitudine a formarmi il carattere,
che è cattivo; a indurirmi l'anima, che è fiera,
e il corpo, che è solido.

La gente
crede
che abbia
trovato
tutte le porte
aperte,
ma io le
ho spinte…

La celebrità
è questo:
la solitudine.

La mia vita è la storia – e spesso il dramma –
della donna sola, delle sue miserie e grandezze,
dell'impari e appassionante lotta che deve
sostenere contro se stessa, contro gli uomini,
contro le seduzioni, le debolezze e i pericoli
in agguato da tutte le parti.

La solitudine mi fa orrore, e vivo in totale solitudine.
Pagherei per non essere sola.

Non c'è cosa peggiore dell'essere soli.
Sì, una: essere soli in due.

Non so neanche più se sono stata felice.
Ho una sola curiosità: la morte.

Aspiro solo alla tranquillità. Spero che dopo
morta mi lascino riposare in pace.

Le clienti di Chanel leggono le riviste di gran lusso come Vogue *e* Harper's Bazaar, *riviste che ci fanno pubblicità. Quelle popolari, a grande tiratura, fanno di più: creano la nostra leggenda.*

La leggenda è la consacrazione della celebrità.

Le persone che hanno una leggenda sono esse stesse quella leggenda.

Queste sono tutte barzellette che racconto perché non voglio parlarvi di me. Non sono un personaggio abbastanza importante.

Non vorrete mica
che vi racconti
la mia vita!

FONTI

LIBRI

Danièle Bott, *Chanel*, Ramsay, Parigi, 2005 • Edmonde Charles-Roux, *L'Irrégulière ou mon itinéraire Chanel*, Grasset, Parigi, 1974 • Edmonde Charles-Roux, *Le Temps Chanel*, Éditions de La Martinière/Grasset, Parigi, 2004 • Claude Delay, *Chanel Solitaire*, Gallimard, Parigi, 1983 • Marcel Haedrich, *Coco Chanel secrète*, Belfond, Parigi, 1987 • Lilou Marquand, *Chanel m'a dit*, JC Lattès, Parigi, 1990 • Paul Morand, *L'Allure de Chanel*, Hermann, Parigi, 1996 • Louise de Vilmorin, *Mémoires de Coco*, Gallimard, Parigi, 1999

RIVISTE E GIORNALI

Elle • *Figaro Magazine* • *Harper's Bazaar US* • *La Revue des sports et du monde* • *Le Nouveau Femina* • *L'Express* • *L'Illustré de Lausanne* • *L'Intransigeant* • *Le Point* • *Marianne* • *Marie-Claire* • *McCall's* • *Mirabella* • *Paris Match* • *Série Limitée* • *Stiletto* • *The New-Yorker* • *Time* • *Town and Country* • *Vogue Paris*

INTERVISTE

Intervista con Pierre Dumayet nella trasmissione *Cinq Colonnes à la Une*, 1959 • Interviste con Jacques Chazot nella trasmissione *DIM DAM DOM*, 11 febbraio 1968, e al telegiornale del 30 gennaio 1970 • *Coco Chanel parle. La mode qu'est-ce que c'est ?*, disco 45 giri, collezione Français de notre temps, 1972 • France 3 • CNN

Le seguenti citazioni sono tratte da *Les Mémoires de Coco* di Louise de Vilmorin (Éditions Gallimard, 1999): p. 19, "Audacia e timidezza..." • p. 58, "Gli altri sarti continuavano..." • p. 65, "Un abbigliamento, per eccentrico che sia..." • p. 100, "Un giorno ho imparato che il bianco..." • p. 104, "Quando la mia attività..." • p. 162, "Quando ero giovane..." • p. 165, "Hanno sempre voluto chiudermi in gabbia..." • p. 166, "E così, appena ventenne..." • p. 168, "Anche il mio successo..."

Le seguenti citazioni sono tratte da *L'Allure de Chanel* di Paul Morand (Éditions Hermann, 1976): p. 12, "Possiedo alcune qualità..." • p. 12, "Detesto abbassarmi..." • p. 12, "La mia ossatura è l'effetto..." • p. 12, "Sono irritata..." • p. 14, "Adoro criticare..." • p. 15, "Visto, che razza di caratteraccio..." • p. 16, "Non riesco a stare agli ordini..." • p. 18, "Più cercavano di vedermi..." • p. 19, "Ogni volta che ho fatto..." • p. 19, "La durezza dello specchio..." • p. 23, "Appartengo a quel tipo di donne..." • p. 23, "Tengo alle stupidaggini..." • p. 23, "Amo solo quello che invento..." • p. 28, "Imparare a fare dei vestiti non significa..." • p. 31, "Ho creato la moda..." • p. 31, "È sempre preferibile seguire la moda..." • p. 33, "La moda vuole essere uccisa..." • p. 36, "Dal couturier non ci sono donne intelligenti..." • p. 39, "Della moda bisogna parlare..." • p. 39, "La moda gira per le strade..." • p. 46, "Se scrivessi un'opera tecnica..." • p. 50, "Non bisogna temere..." • p. 53, "Una bella stoffa..." • p. 64, "L'eccentricità mi piace..." • p. 65, "Bisogna diffidare dell'originalità..." • p. 78, "Mi copro volentieri di gioielli" • p. 81, "I gioielli vanno guardati ..." • p. 81, "I gioielli servono..." • p. 81, "Il gioiello non è fatto..." • p. 87, "Ho fatto la sarta per caso...." • p. 96, "Chiedevo ai grossisti..." • p. 99, "E così ho imposto il nero..." • p. 99, "Le donne pensano a tutti i colori..." • p. 101, "La tragedia della donna..." • p. 104, "Ho fatto vestiti..." • p. 104, "Coco trasforma in oro..." • p. 105, "Il lavoro ha molto più sapore..." • p. 107, "Niente mi riposa più del lavoro..." • p. 121, "Il lusso è innanzitutto..." • p. 122, "Giudico la gente..." • p. 124, "Il denaro è una cosa..." • p. 125, "Mi piace comprare..." • p. 133, "La donna che avanza..." • p. 133, "Le cure di bellezza..." • p. 162, "Mi chiedo come mai..." • p. 164, "Un mondo finiva..." • p. 165, "Avevo l'età del nuovo secolo..." • p. 166, "Ho reso la libertà al corpo delle donne..." • p. 168, "Sentir dire che..." • p. 168, "È stata la solitudine..." • p. 171, "La mia vita è la storia..." • p. 171, "La solitudine mi fa orrore..."

SUGLI AUTORI

Scrittore, editore e giornalista, Patrick Mauriès ha pubblicato numerose opere, racconti e saggi sull'arte, la moda, la letteratura e le arti decorative. Ha messo in luce creatori come Piero Fornasetti, René Gruau e Line Vautrin, e dedicato vari libri a personaggi diversi tra loro quali Jean-Paul Goude, Christian Lacroix e Karl Lagerfeld.

Jean-Christophe Napias, autore e editore, ha scritto numerosi libri su Parigi (tra cui *Paris au calme*) e pubblicato opere sulla letteratura francese, in particolare della prima metà del XX secolo.

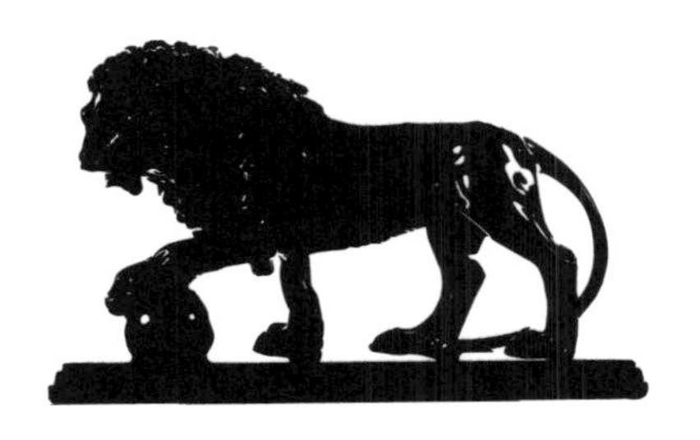

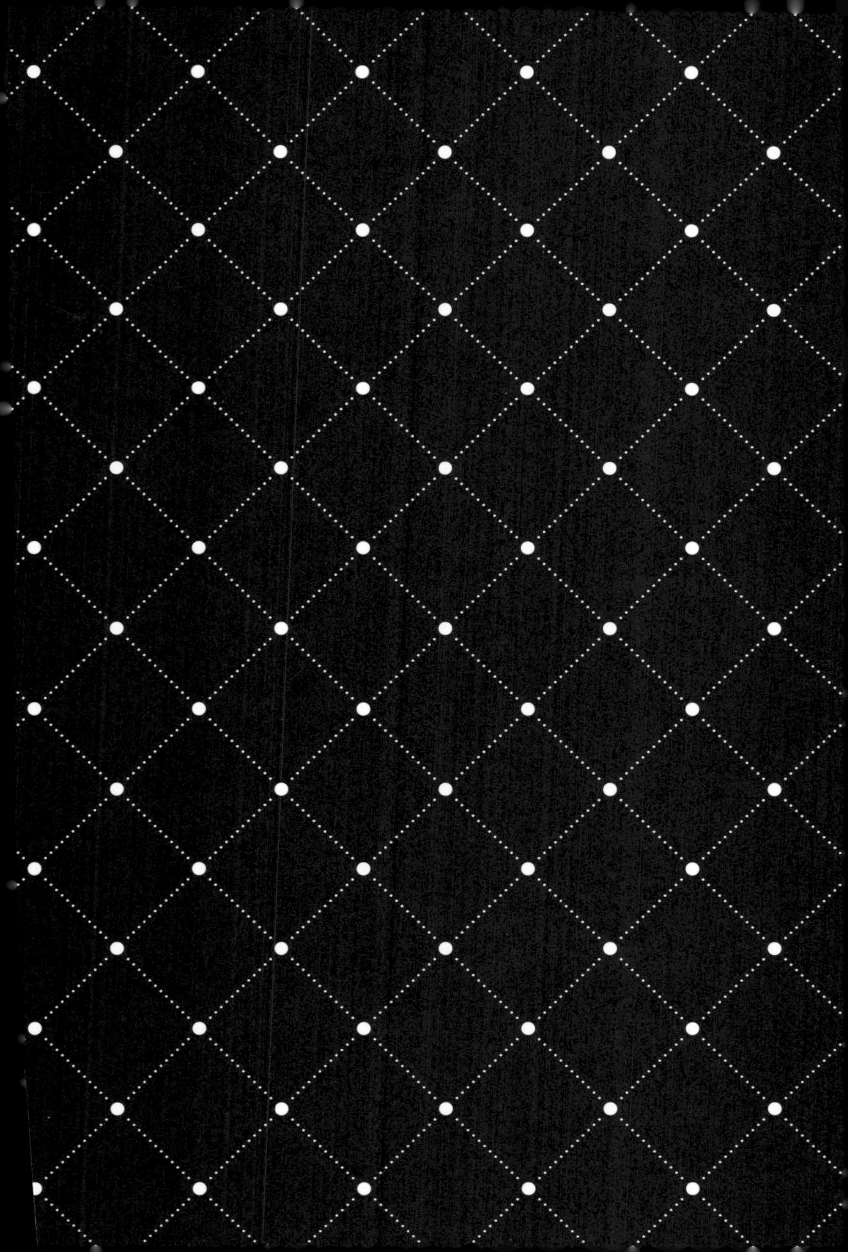

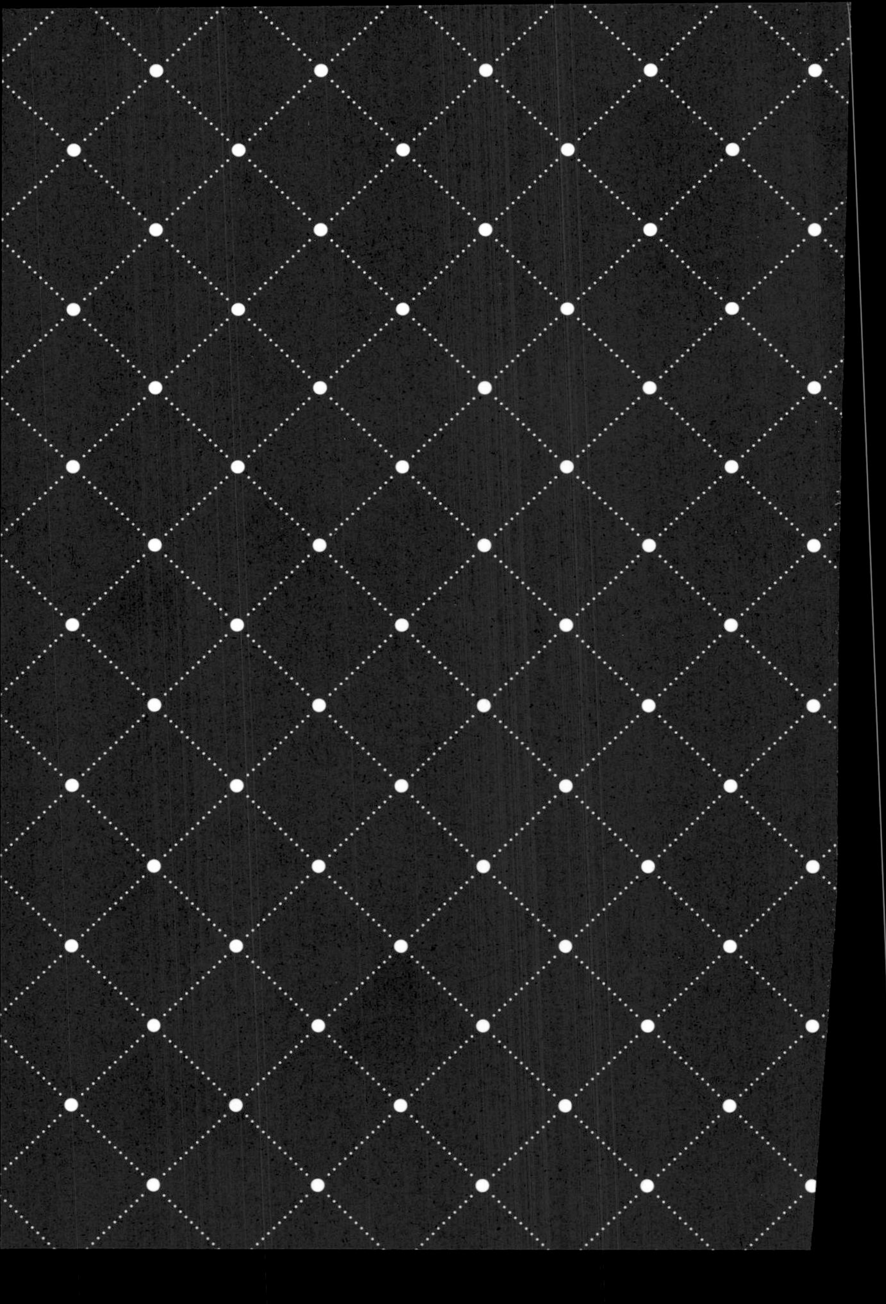